Estimados familiares y amigos de lectores jóvenes:

Aprender a leer es uno de los logros más importantes de la infancia. Es una tarea difícil, pero los libros de la serie ¡Hola, lector! pueden facilitar el aprendizaje.

Cuando se practica un deporte o se aprende a tocar un instrumento musical, se tiene que participar en juegos, oír música y tocar el instrumento para mantener el interés y la motivación. Cuando se aprende a leer, se tienen que buscar oportunidades para practicar y disfrutar de la lectura. Los libros de ¡Hola, lector! han sido cuidadosamente elaborados para este fin y ofrecen cuentos entretenidos con niveles de texto adecuados para que la lectura sea un placer.

Les recomendamos estas actividades:

- El aprendizaje de la lectura comienza con el alfabeto. En las primeras etapas, ustedes pueden alentar al niño a concentrarse en los sonidos de las letras dentro de las palabras y a deletrear las palabras. Con los niños que tienen más experiencia, pueden poner más énfasis en la ortografía. ¡Conviértanse en observadores de palabras!
- Vayan más allá del libro. Hablen sobre el cuento, compárenlo con otros cuentos y pregunten al niño qué es lo que más le gustó.
- Comprueben si el niño ha comprendido lo que acaba de leer. Pídanle que les cuente el cuento con sus propias palabras o conteste las preguntas que ustedes le hagan.

A esta edad, los niños también suelen aprender a montar bicicleta. Al principio ustedes ponen ruedas especiales para entrenarlos y guían la bicicleta desde atrás. De la misma manera, los libros de ¡Hola, lector! ayudan a los niños a aprender a leer. Pronto los verán levantar el vuelo como hábiles lectores.

—Francie Alexander
Directora del Departamento
de Educación de Scholastic

Originally published in English
as *No Kisses, Please!*

Translated by Carmen Rosa Navarro.

ISBN 0-439-59857-5

12 11 10 9 8 7 6 5 4 10 11 12 13 14/0

Printed in the U.S.A. 40

First Spanish printing, February 2004

¡BESOS, NO, POR FAVOR!

por Hans Wilhelm

¡Hola, lector! — Nivel 1

SCHOLASTIC INC.
New York Toronto London Auckland Sydney
Mexico City New Delhi Hong Kong Buenos Aires

¡Oigo un auto!

Tenemos visita.

¿Quién será?

¡Oh, no!

¡Es tía Julia!

Siempre me besa.

No me gustan los besos.
Tengo que esconderme.

Ahora estoy a salvo.

¡Ahí estás!

¡Te encontré!

¡Oh, no!

¡AUXILIOOOO!

¿Qué hago?

¡Tengo una idea!

Cavo un hoyo.

Ya me puedes besar.

¡Funcionó!
No me besó.

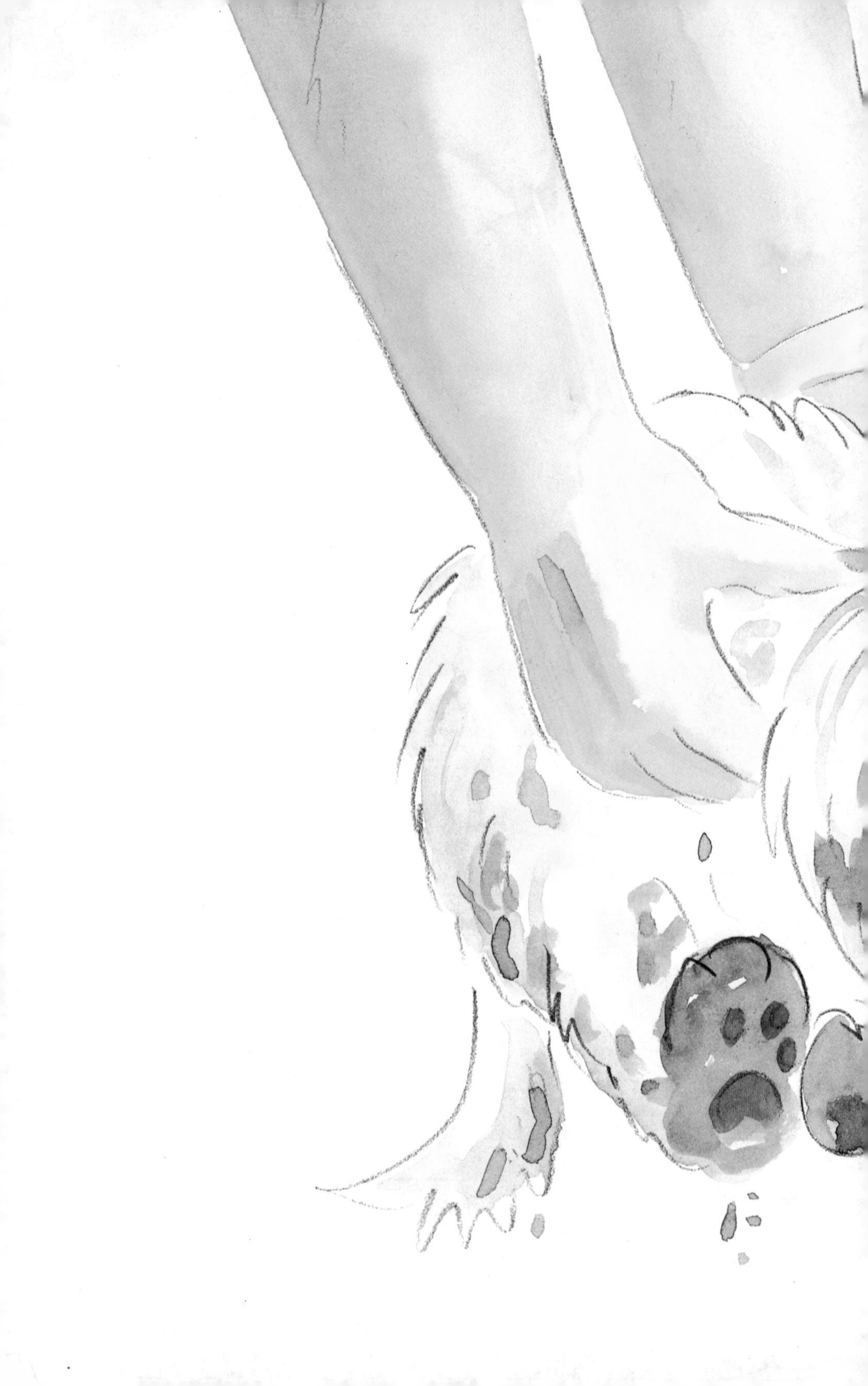

¡Oh, no! ¿Y ahora qué?

Un baño es mejor que un beso.